● CONTENTS ●

전국대회 5 지학의 별 24 1학년 애송이 45 박경태, 오사카에 가다 65
농구의 왕국 85 우리나라 최고의 고교 선수 105 1 ON 1 127 1st ROUND 147
위험해진 전국대회 167 합숙 187 합숙 2 207 합숙 3 227

● CONTENTS ●

전국대회 5　지혜의 별 24　1학년 애송이 45　박경태, 오사카에 가다 65
농구의 왕국 85　우리나라 최고의 고교 선수 105　1 ON 1 127　1st ROUND 147
위험해진 전국대회 167　합숙 187　합숙 2 207　합숙 3 227

SHOHOKU

전국대회

♯185 전국대회

와아아아아아
......
두근
두근
질질...
뭐야...
끝나자 마자 또 통증이 ...!!

하지만 이젠 상관없다 ...!!
두근...
두근...

와아아아아아

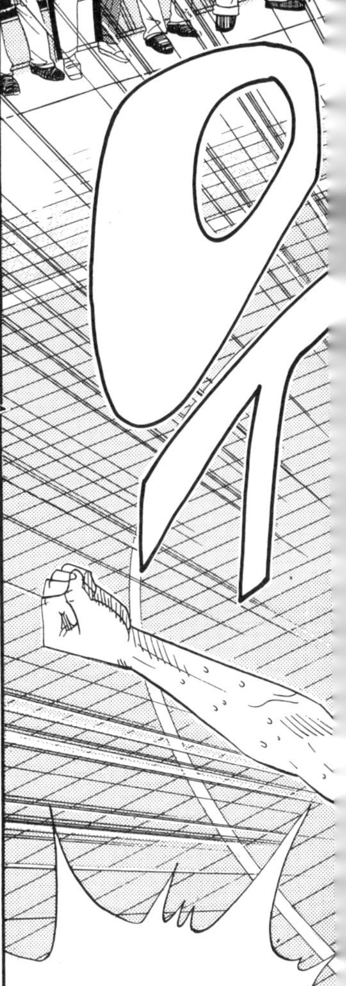
전국대회 진출이다!!

와-!
와-!
와-!
우리들은 이겼어!!
와-!

핫핫핫핫!
두닥
두닥
해냈구나, 백호야!!
우린 해냈어!!
두닥
두닥

네가 없었더라면 마지막에 어떻게 됐을지….
역시 천재죠?

그래, 천재 맞을 거야! 천재 강백호! 하하하!!
우-하하하핫!

안경 선배!

은퇴는
연기된 거죠?
이천재
덕분에~!!

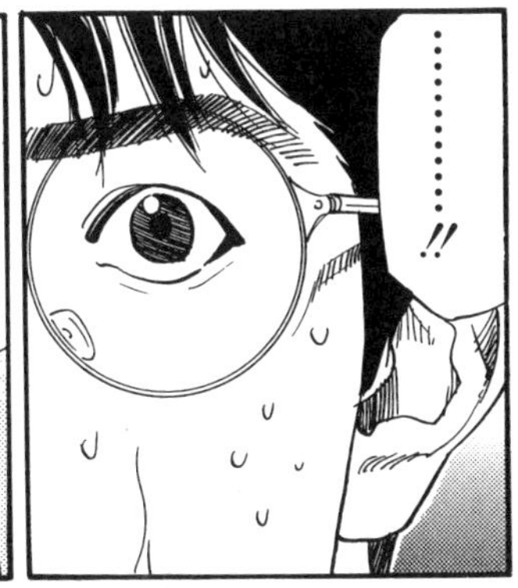

……!!

날 울리지
마라.
문제아
주제에….

자, 모두
정렬해라.
그리고
안선생님께
알려드리러
가야지!!

그래!!

고릴라!!
정렬해야지!

치수야….

…………
슥

…………

SHOHOKU

………

선배님….

…………

히히….
SHOHOKU
10

턱
억
10
4

자,
정렬이래요.

으…응.
알고 있어!

흑…
흑…
흐윽…

축하해, 오빠!
정말 축하해…!!
훌쩍…

와
와
와
와
와

이제 시상식이다. 내려가자.
예.
와
와
와
……
와
와
……
와
와

하아
하아
하아
陵南
7
……
……
전국대회에서 다시 한번 보고 싶었는데…
윤대협…!!

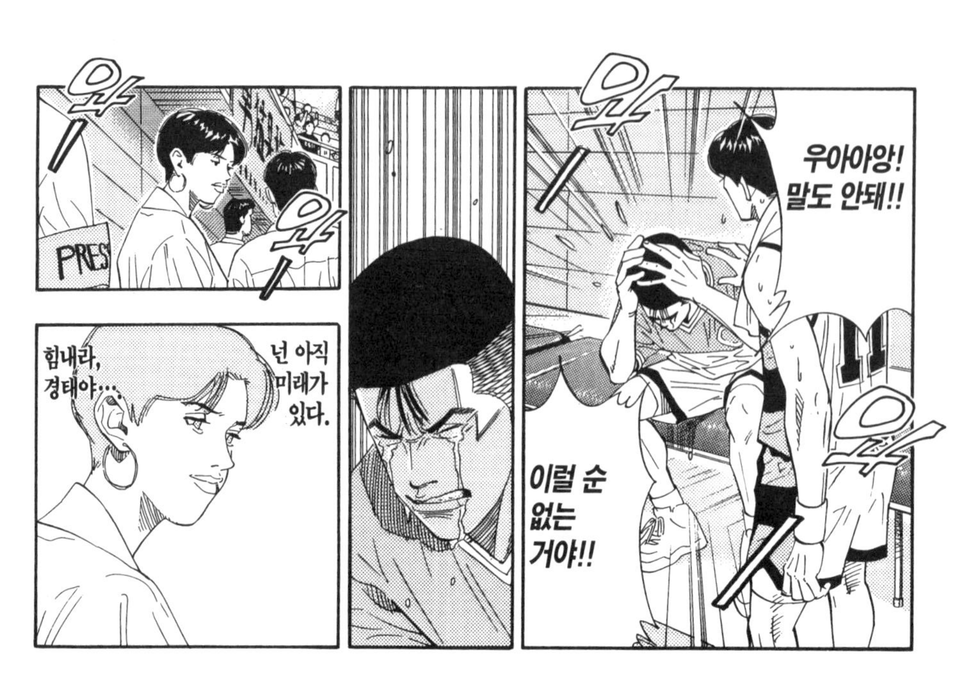
와
와
우아아앙!
말도 안돼!!
와
이럴 순
없는
거야!!
와
와
넌 아직
미래가
있다.
힘내라,
경태야….

……

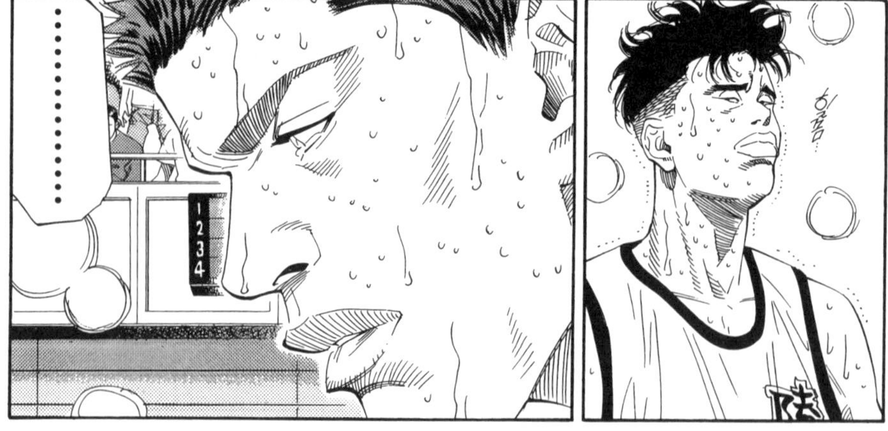
……

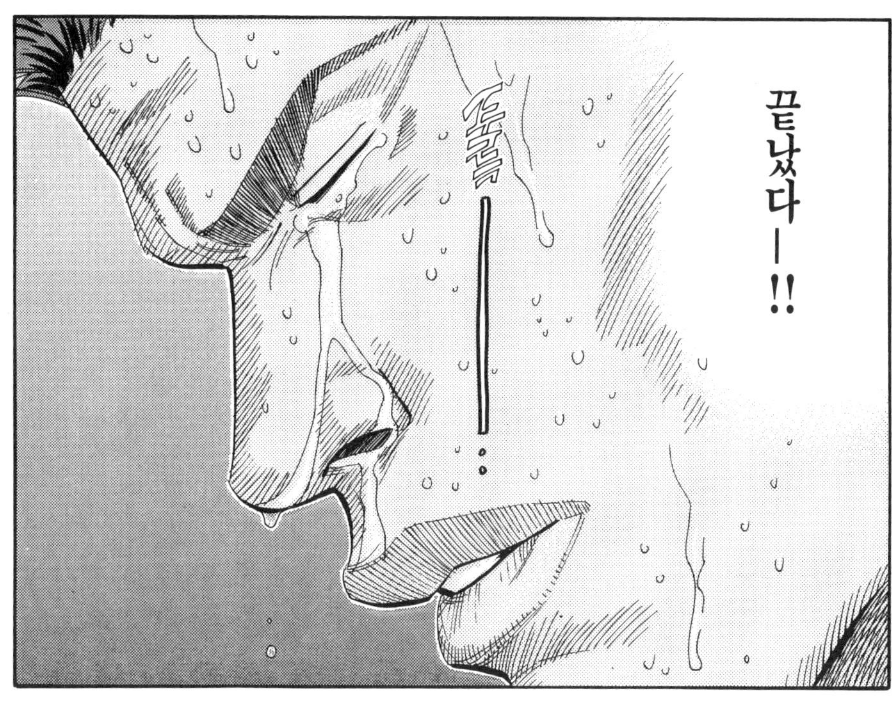

끝났다—!!
도르륵—

......

......
흐으윽
부들
부들

와아아아
70대 66으로
아
아
북산의 승리!!
수고하셨습니다!
아
아

헉헉..

헉헉...

꽈악
....

와
와
와

감독님,
패배는 했지만
그 경이적인
끈기엔 정말
감동했습니다.
패인은
뭐였다고
생각하시
나요?

어라?
하진
선배?!
하진
선배님
-!!

시합이 끝날
무렵까지
90%는
제 의도대로
됐습니다.
그러나 마지막의
마지막 부분에서
권준호와
강백호에게
당하고 말았던
겁니다.

난 그 두 사람을
북산의
불안요소로
단정지었습니다.

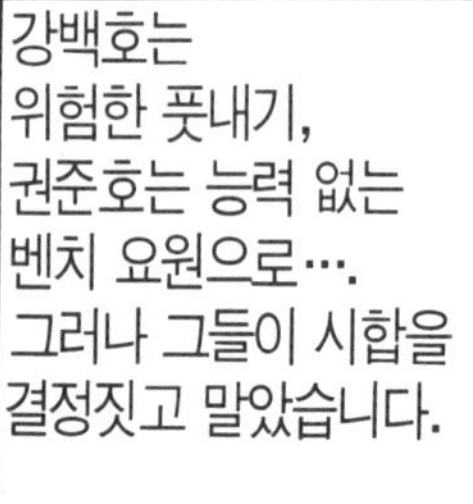
강백호는
위험한 풋내기,
권준호는 능력 없는
벤치 요원으로….
그러나 그들이 시합을
결정짓고 말았습니다.

결국
패인은
바로
나!!
능남의 선수들은
최고의 플레이를
해주었습니다!!

최종순위

	해	북	능	무	승패 순위
해남대 부속		○ 90-88	○ 89-83	○ 98-51	3승 1위
북산	× 88-90		○ 70-66	○ 120-81	2승 1패 2위
능남	× 83-89	× 66-70		○ 117-64	1승 2패 3위
무림	× 51-98	× 81-120	× 64-117		3패 4위

베스트 5

이정환

신준섭
(해남대부속 2학년)

채치수
(북산 3학년)

서태웅
(북산 1학년)

윤대협
(능남 2학년)

작년 예선
1차전에서
탈락한
북산고교가
처음으로
획득했다.

#186 지학의 별

전국대회
예선이
끝나고
일주일—.

아─앗!!

응?
新装

원숭이!!

너어, 이런 곳에서 뭐하고 있는 거냐? 빨강머리 원숭이!!
핫핫, 일요일이니까 놀러나온 거야.
이 멍청한 놈!! 고등학생이 성인 게임을 해서 어쩌겠다는 거야?!

야생 원숭이다.
해남의 야생 원숭이!
감독도 있네!!

감독?

어쨌든 북산은 지금쯤 죽어라고 연습하고 있을 거라 생각했는데 말야.
오늘은 오후부터야.
겨우겨우 전국대회 출전권을 따낸 주제에 여유만만인데?!

지금 확신했다.
네 녀석들은 전국에선 통하지 않아!!

흥….
북산이
전국대회에
진출하니까
질투하는 거지?
그치?

뭐
?!

내가 왜
질투를 하냐?
이 멍청아!
우린
예선 1위로
전국대회에
나가는데!!
너희들은
우리한테
졌잖아!
벌써
까먹었냐?!
뭐야?
너희들도
가냐?!

분명히
말해두지만
너희 정도의 팀은
전국대회엔
얼마든지 있어.
우리 카나가와현의
수치가 되고 싶지 않으면
이런 데서 놀지 말고
어서 가서
연습이나 해!
이
왕 풋내기
녀석아!!
PACHINK

이
게
?!

쿵
……!?

너도 전국을
모르긴
마찬가지야.
열차 시간에
늦겠다.

애늙은이, 어디 가는 거지?

……

지학의 별이란 녀석을 알고 있나?

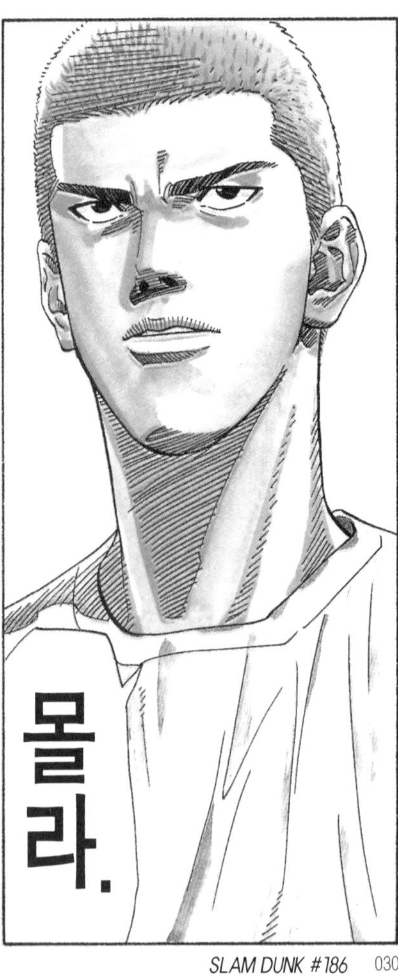
몰라.

그럴 줄 알았어.

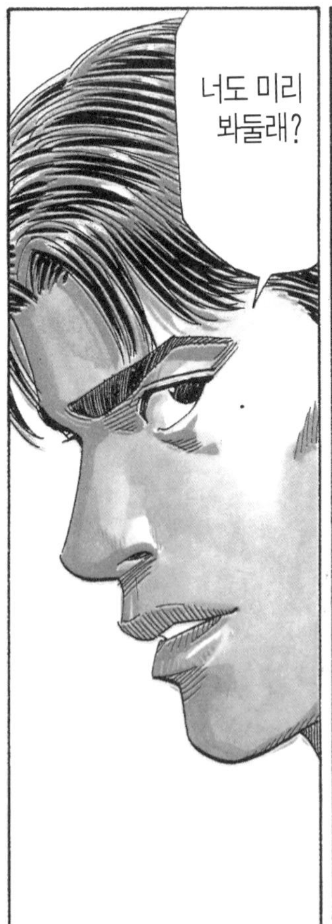
너도 미리 봐둘래?

전국에서
노는
녀석을!

……

아~아!
PACHINKO
백호는
이제 완전히
바스켓에
빠져버렸어.

이러니
저러니 해도
지금은 상당히
주목받고 있는
선수잖아.
적어도
이 근처에선….
풋내기
주제에
말야.
모두
속고 있는
거야.

굉장히
재미있나봐.
바스켓이란게….

이잉…
찰르륵
삐요로롱
…………
…………

삐용

출발이
좋은걸!!

걸렸다!!
뭐?
벌써?!

쓔
아
앙

그런데 채치수의 발목은 어떠냐? 강백호!

쳇! 500엔밖에 없는 주제에 뻔뻔스럽게 따라온다고 하긴! 뭘 믿고 그렇게 뻔뻔하냐?
헛헛, 3배로 갚아주면 되잖아.
안 갚기만 해봐라!!

역시 회복이 빠르군!
그렇지.
너랑 똑같은….
야성의 피라….

아, 이젠 아무렇지도 않아!
날뛰는 고릴라야!

뭐, 뭐야?!
안선생님은…?

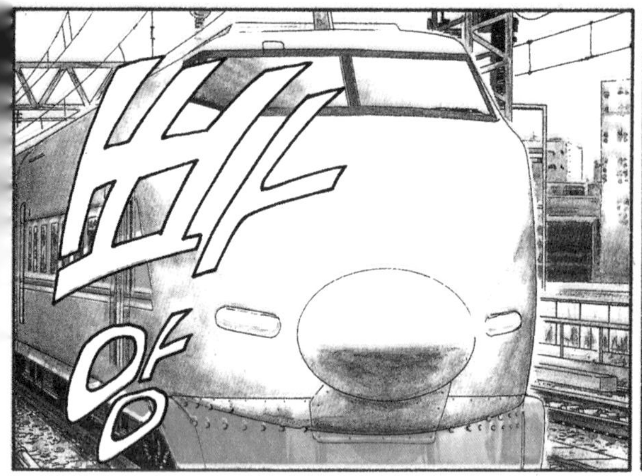
뱌
앙

그야 물론
건강하시지.
여전히
뚱뚱하고.

안선생님 댁

미안하구나.
가장 중요한
시합에 가지
못하다니….
……

졸졸
졸!

늘…

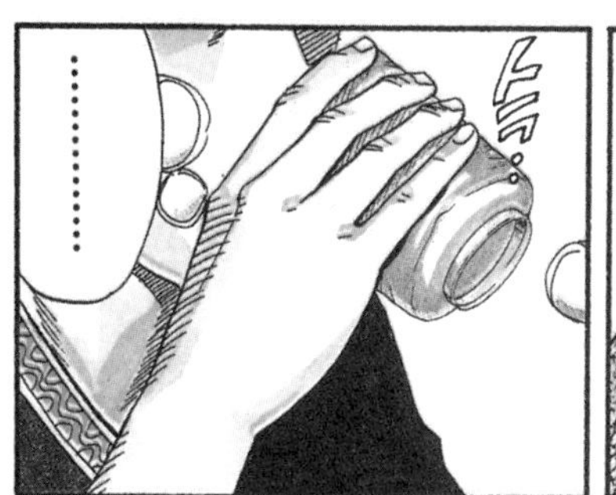
늘.
……

그런데….

얘기하고
싶다는 건…?

태웅군.

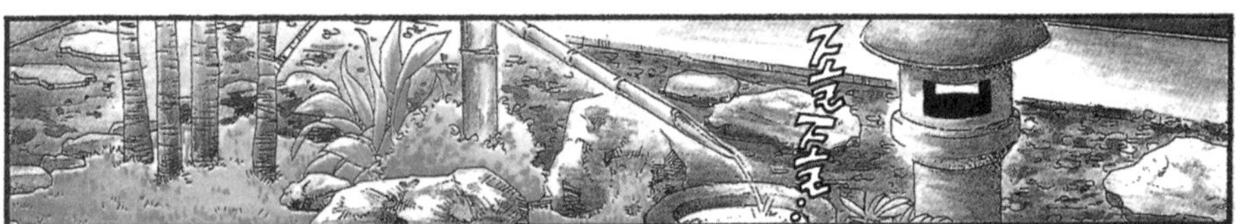
졸졸졸…

나고야ㅡ
전국대회
남자농구
아이치현
예선
경기장.
와아아아아
붕!!
아...
이봐!
저기 봐!
카나가와 현의
이정환이다!!
앗,
정말이네!
이정환
...!!
해남대부속의
이정환이다!!
웅웅
웅웅
......!!
웅웅

공…
공장해!!
여기에서도 유명하다니!!
역시 정환이형이야.

……

부럽다….
全国区

아, 벌써 결승전이 시작된 것 같다. 서두르자!
예!!

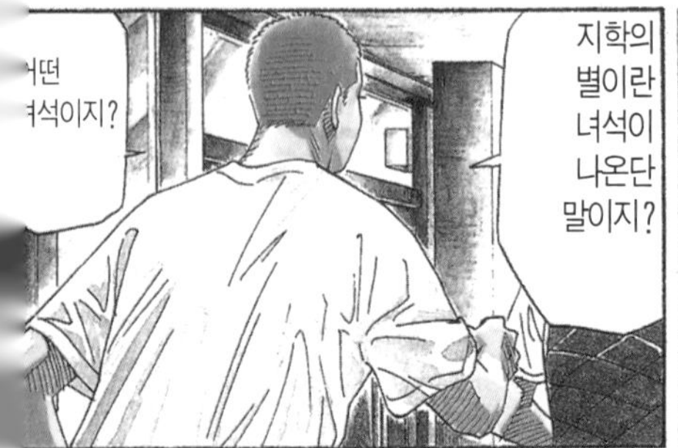
지학의 별이란 녀석이 나온단 말이지?

지학고교 3학년 마성지. 통칭 '지학의 별'.
너희 북산도 전국대회에 진출한 이상 피할 수 없는 이름이다.
마성지….

!?

우우웅

뭐지,
지금?!

뭔가
일어났군….

아
!

탸앙
비켜,
비켜!!

하아
하아
마성지?!
하아

아니~~?!
지학의 별?!
이녀석이!

이정환…?!
아앗….

어떻게 된 거야?!
이봐, 이봐!!

절대
용서할 수
없어.
그
1학년
애송이…!!

그 녀석,
용서하지
않을테다….

1
학
년
…
?!
깜
짝

미
국
…
?

!

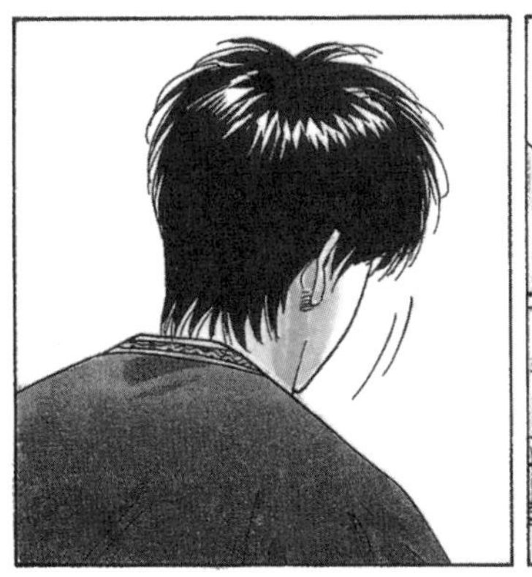

미국에
가려고
합니다.

와아아아
우와, 점수가
이게 뭐야?!

지학고교
2:13
17
1ST
아

야
야
전국 4위의
지학고가…
예선에서
20점이나
뒤지다니…?!

1학년
애송이란
녀석은…?
……
야
야

시무룩
출발은 무지 좋았는데…
훌쩍
너무 까분 탓이야
아-아

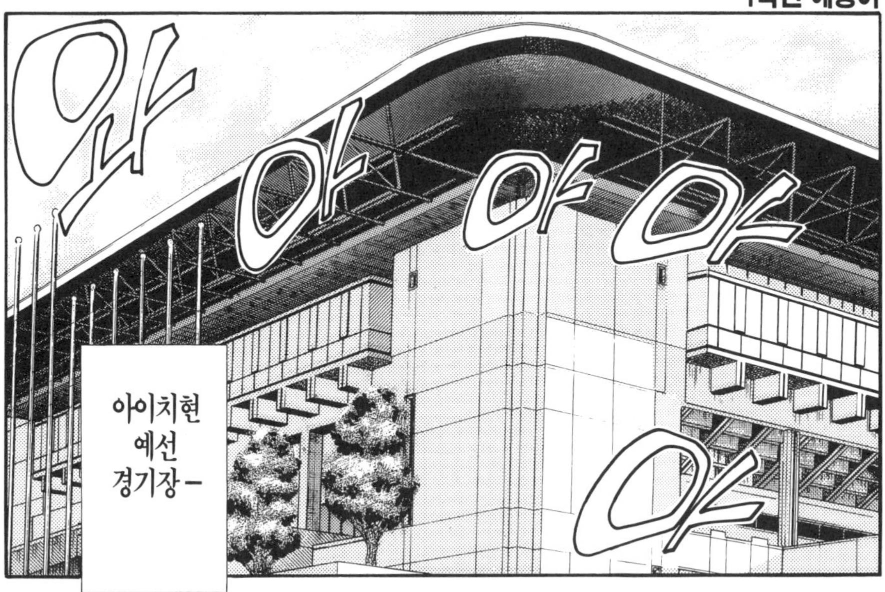
와
아
아
아
아
아이치현
예선
경기장-

아
아
'지학의 별'이
얘기한
1학년 애송인
누구지?

아무래도
저 녀석
같군.

아
15
번
!
아
아

＃187　1학년 애송이
15번….

ヌ
ヌ

미국이라구….
安西

유학을 간단 말인가…?
……

단지
그것뿐입니다.
더 농구를
잘하고
싶습니다.

……

난
반대다.
……!!

WHY…

……!!

와와 와
와 와
우와아앗!
어떻게
되가는 거야?!

와아아아아
30점!
30점이나 벌어졌잖아!! 지학이 도대체 어떻게 된 거야?!
명정공업
11:41
지학고교
56
2ND
27

몇번이나 말해야 알아 듣겠나?
골밑이다.
골밑을 확실히 막아!!

알고 있어도 막을 수 없을 거다.
저 녀석은…!

아, 온다!!
저런! 그렇게 간단히 패스를 통과 시키다니!!

막아라!!
둘러싸서 막아!!

날려버려라!

판석아!!

우왁!!!
名朋工業
15
名朋工業
7

우
우와아아앗!!
당
탕
탕

오~옷!!

끼익
끼익
끼익

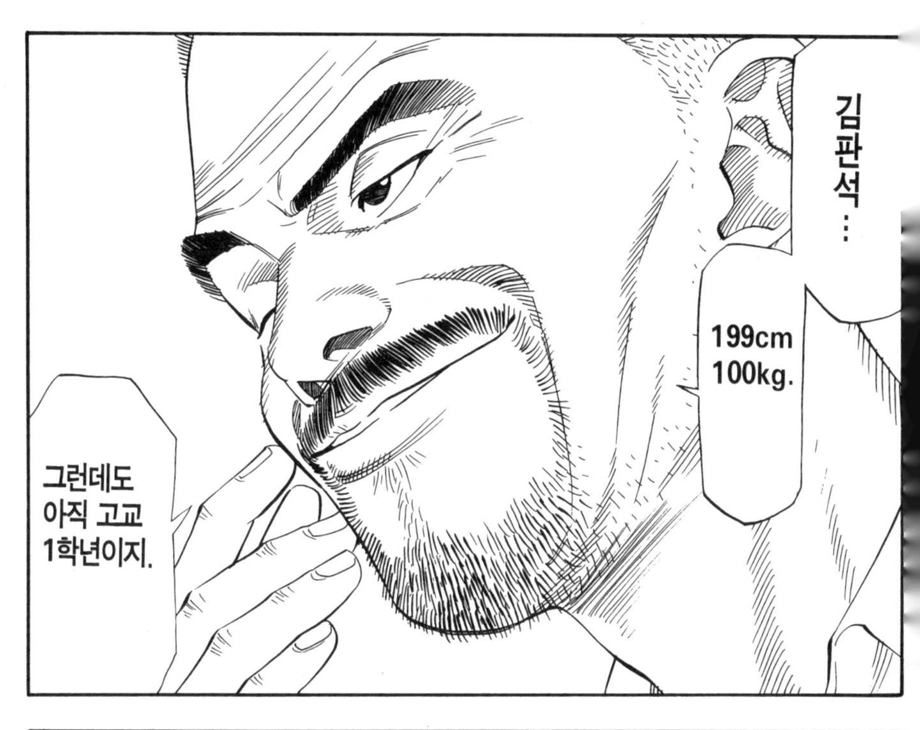
김판석…
199cm
100kg.
그런데도
아직 고교
1학년이지.

너석은
우리나라
농구계의
보석이 될
남자다…!!

……
크윽….
언제까지 매달려 있는 거냐?!
심판!!
삐익
테크니컬 파울!! 명정 15번!
!
이런!
또…!
상대방이나 자신이 위험에서 피하기 위해서라면 괜찮지만 그 이외에 링을 붙잡거나 매달려 있으면 테크니컬 파울이 된다.
Dr.T의 도움이 되는 바스켓볼 강좌
오랜만이네요!

왁
왁
판석아, 너 그렇게 오랫동안 링에 매달려 있으면 안된다고 했잖아?
그러니까 또 파울이지.
왁
왁
헤헤…. 감독님.

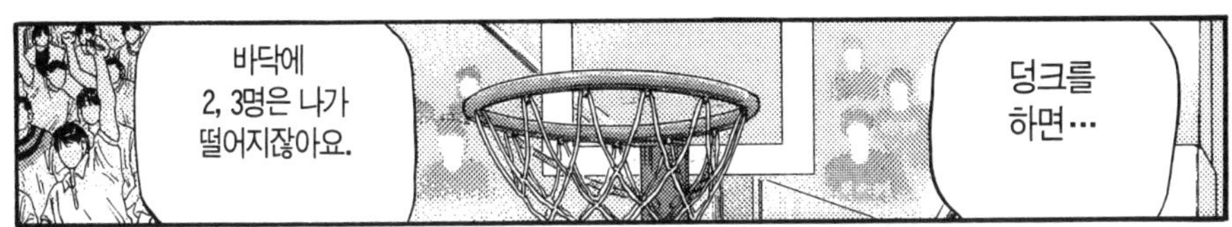
덩크를 하면…
바닥에 2, 3명은 나가 떨어지잖아요.

그걸 위에서 내려다 보는 게 아주 재밌어요.

명정공업….

김판석….

흐음….

시합은 그후
부활한
'지학의 별'
마성지가 분발하고,
게다가 인사이드를
지배하고 있던
명정공업의 김판석이
5반칙으로
퇴장당하면서
지학고가 맹추격을
펼치게 된다.
명정공업
31
지학고교
74
2ND
68
그러나 전반의
큰 점수 차를
끝내 뒤집지는
못하고….

명정공업이
처음으로
예선 1위로
전국대회에
진출하게 되었다.

2위로
진출하게 되긴 했지만
강호 지학고교의
완패와
명정공업 1학년
김판석의
충격적 등장은
우
와
아
아
아
계속해서
경기장 안에
기묘한 여운을
남기게 했다.

저런 녀석이
있었다니….
너희들의
전국 데뷔가
저 녀석의 그늘에
묻혀버리는 거
아냐?
우우우우
고민구 혼자서
어떻게 해볼
상대가
아냐….
와보길
정말
잘했다….
!!

능남과의
비디오를
봤다….

태웅이 넌 아직
윤대협에
미치지 못한다.

지금 미국으로
가겠다고
하는 건….

……!!

그건 네 자존심
때문에
도피하는 게
아니냐?
아닙….
하물며
전국에는 더욱더
뛰어난 선수들이
있을텐데….

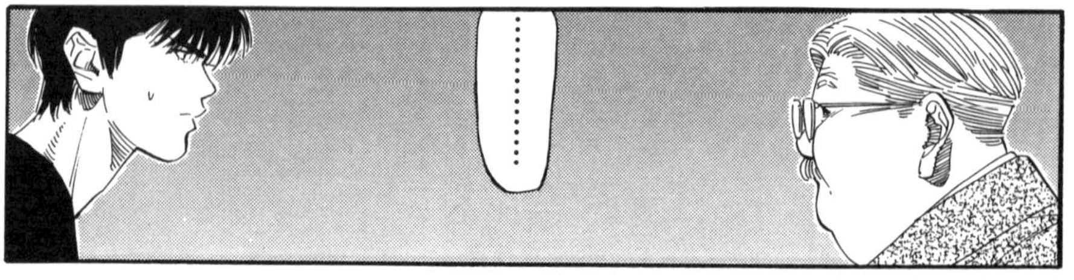
………

우선….
우리나라 최고의 고교 선수가 되도록 해라.

!!

미국엔 그 후에 가도 늦지 않네.

!!

씩
저 녀석….

척
…

……………

툭
!

아!
……!!
미안!
꽝
당
……
약 1개월 후—
쿵….
전국에 김판석이라는 이름이 알려지게 된다.

쪽 팔린 줄
알아라
풋-풋풋풋

#188 박경태, 오사카에 가다

오사카ㅡ

이정환과
강백호가
아이치현
예선 경기장에
있을 무렵
SHIN OSAKA STATION
한 명의 남자가
여기 오사카에
와 있었다.

그 사나이의
이름은…

중요
체크다!
박경태
짜ㅡ잔
경태야. 잘 지내니?
난 그후 풍전고교에
들어가 농구부

그래서 보러 왔다 요 녀석아
우리들도 올해는 전국대회에 나갈수 있을것 같다. 결승전은 오랜만에 고향에 오는 겸해서 꼭 보러 오렴. 천귀남.
풍전고교에 들어갔군. 명문인 곳이지….

P.S. 난 1학년중에서 유일하게 정규멤버로 뽑히게 되었단다.
이 부분은 의심스러운데….
나보다도 작았고…
내 또래나 하던 주제에.

P.S.의 P.S. 능남은 전국대회에 나가게 됐니? 전국대회에서 만날수 있기를 고대할게.
제발 그 말만은!!
또 악몽이 되살아난다.

정말 종이 한 장 차이였는데….

해남에게도 북산에게도….
…………
정말 종이 한 장 차이였었어….

3학년 선배들에게 있어서 북산전은 은퇴 시합이 되었다.
덕규 선배만은 선발전까지 남아있을 거라 생각했는데….

18세가 되면 수행을 시작해야해.
그건 어릴 적부터 아버지와의 약속이었어.

가업을 이을 사람은 나밖에 없으니까.

가업…?
'수행'이란 게 뭘 말하는 거죠?

나의 꿈은…
요리사다!!

요리사…!!
아버님이 요리사였었나요?!

……………

우리들 대에선
기회를
놓쳤지만…
다음에야말로
너희들이….

다음에야말로….
…………
…………
너희들이….

전….
전….
전….

천천히
라도
좋아!
네 힘으로
끝까지
하는 거다!
수지
마!
덕규야?
예!!
오오!!
전….
가자!!
네엣!!
팍
덤벼라,
복산!!
파
앗

주장….
……

터치….
굳게

다음에야말로
너희들이
전국대회
출전권을
손에
쥐기 바란다!!
!!

옛!!
옛!!
수고하셨습니다!!

3학년이 빠진
빈 공간은
너무나 크지만…
……

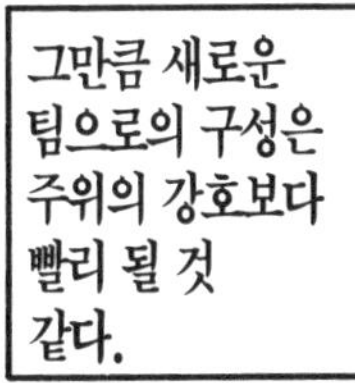
그만큼 새로운
팀으로의 구성은
주위의 강호보다
빨리 될 것
같다.

새 주장인
대협 선배가 아직
오지 않았는데…
괜찮으세요?

그 녀석이
있기 때문에
난 안심하고
은퇴할 수
있는 거다.
아무것도
걱정할
필요없다.

두고봐~!!
반드시
능남의
시대가
온다!!
능남의
시대를
만들고
말겠어!!

오사카
지역 예선
경기장
경태야!!

경태야!!
경태
맞지?!
정말
와 주었
구나!!

네가…
귀남이?!
거… 잠깐만…

응?
너 지금
몇
cm냐?
181

아아, 그래. 내가 중2때
전학간 후 못 봤으니까,
작았을 때의 나밖에
모르는구나.
너!!

꿀꺽
너?

그때부터
급격히
자라더라구.
20cm정도….
그런데
경태 넌
하나도
안 자란 것
같다.
시끄럿!
나도
자라긴
자랐어!!
2cm!

그리고 귀남이
너,
몸뚱이가 자라면
태도도
건방져진다냐…?
너라니….
경태형, 경태형
하고
따라다닐 때는
잊어버린 거냐?
농구를
가르쳐준
것도 나잖아!!

어렸을 때
얘기잖아?!
뭐,
그건
그렇지….

옛날은
옛날이고
지금은
지금이야.

울컥

그런데 너희
능남고는
전국대회에
나가니?

……………!!

못 나가….

능남이라면
카나가와현
능남고교?

우리 학교
에이스
강동준
선배야.
나한테 농구를
가르쳐준
사람이지.
진짜
농구를
….
흥이다!!

너네 학교에
윤대협이라고
있지?
아…
알고
있으세요?

여기에
나와
있었다.
카나가와현
에 대한
부분에….
주간
바스켓볼
전국대회
출전교 예상!
NO. 24

"능남의
천재 플레이어
윤대협의 플레이는
절대 놓쳐선
안된다."
'천재'라고
돼있군.
주간
바스켓볼

누나가
쓴
기사다
….

'천재'
라….

국내 선수를
이렇게까지
절찬하는 건
아주
드물지.
그것도
고교생을!!
神奈川県
陵南高等学校
그래서 꼭
전국대회에서
만나….

내가 그 녀석
코를 납작하게
눌러버리려고
생각했었는데….

흐암….

이제….

슬슬
가볼까…!

―!!

전국대회에 출전 못한다잖아요.
실제론 고작 그 정도라는 거겠지.

어중이떠중이 들한테도 그런 칭찬만 해주고 말야.
역겹다, 역겨워.

……
부들부들
한 마디만 해두겠는데요….

뭐?

네 녀석 따윈 대협이형 발끝에도 못 따라가!! 이 멍청아!
KISHIMOTO

뭐라고!!
……

네놈들…
풍전고교….
절대로
용서할 수
없다!!
체크해주마!!
체크하고
체크하고 또
체크해줄테다!!

그리고 해남과
북산에게
넘겨줄테다.
네 놈들의
테이터를!!
우선 에이스의 성격은 최악…
하지만…

오사카의
진짜 왕자는
풍전고교가
아니었다.

백코트!
백코트다!!
어서
돌아오지
못해!!
오오,
나이스
패스!!

좋았어—!!
와
와
대영고교 점수차가 꽤 벌어졌어!!
10점차!
풍전
대영고교
와
와
와
빌어먹을!! 나랑 승부하지 않을 거냐? 이현수!!
강동준 녀석, 저 4번에게 무참히 깨지는구나!!
끌끌끌!
와
와
귀남이 녀석도 계속 벤치만 지키고 있고!!

쳇!! 파이팅, 동준이 형!!

대영고교… 4번을 중심으로 잘 짜여진 팀이야…!!
대영고교
61

저 4번… 장신에다 팀의 리더로서 팀 동료들을 잘 활용하고 있어!!
어딘지 대협이형과 비슷한 타입이야…!!

우와아앗!!
GAKUEN

쿠ㅡ웅
!!

와아아아아아
나이스ㅡ!!
이현수!!
잘했어!!

정말
체크해야할 곳은
여기
대영고교였어….

4번
이현수ㅡ
중요 체크다!!

보러 오길
정말
잘했다…!!
신생 능남의
목표가 될
팀일지도
몰라…!!

오사카에서
전국대회에
나가는
2개 고교는
대영고교와
풍전고교로
결정되었다.
그리고
아이치현에서는
명정공업과
지학고교가….

이것으로 전국
59개 팀이
모두
결정되었다.
결전까지는
이제 앞으로
1개월!!

SLAM
슬램덩크 완전판 프리미엄
DUNK

＃189 농구의 왕국

Video 8

……
미국…?

난 반대다.

어째서…!!

빵 빵

역까지 태워줄게요.

선생님이
대학 감독을 맡고
있을 무렵,
미국으로 간
선수가 있었어요.

벌써
10년 정도 전의
이야기이지만….

태웅군, '흰머리
호랑이'라고
들은 적 있나요?
그건
선생님을
가리키는….

그래요….
당시 안선생님은
빈틈없이
잘 짜여진
조직적인 농구로
유명했다.

조재중이라고
2m의
신장에
큰 신장에
어울리지 않는
뛰어난 운동능력까지
있어 장래가
촉망되는
1학년생이었어요.

대학 농구계 최고의 명장 안선생님은
'흰머리 호랑이'라는 별명과 함께 스파르타식의 무서운 코치로도 잘 알려져 있었다.
이런 침묵이 오히려 더 부담스러워 …
아~, 또 호랑이한테 혼나겠구나….
조재중!!
정말 지긋지긋 하다….
조재중…!

옛!!

너 뭔가
착각하는 거
아니냐?

완···
꿀꺽
완전히
조직의
두목
같아···.

널 위해
팀이 있는 게
아냐.
팀을 위해서
네가 있는
거다!!

알겠나?
아직도 모르겠어? 어느 쪽이냐?
네…

좋아, 그럼 왕복달리기 20회 하고 와라!!
네!! 알겠습니다!!

크…

알겠나? 아니면…
잘 모르겠나?
어느 쪽이야?!
예… 옛!! 알겠습니다!!

빌어먹을~ 이게 뭐야! 대학에 와서까지 이런 군대식 훈련을 받지 않으면 안되는 거야?! 연습도 기초적인 것뿐이고….
이 팀은 내게 맞지 않아!! 좀더 자유롭게 플레이 할 수 있는 곳이 아니면 내 재능이 매장되고 말 거야.

10회 더
하고 싶나?

좋아, 5회
플러스로
봐주지!!
……!!

그래서
한시라도 빨리
기초적인 것을
몸에 익히게
하려는
계획이겠지.
기초가 없으면
어떤 재능이라도
피어나지
못하니까….

감독님 말야,
재중이한테
특히 엄한 것
같아.
그만큼 더
기대한다는
거지. 저 녀석의
잠재적인
능력에 말야.

그만둘테다!!
내가 하고
싶은 농구는
여기엔 없어!!

미국이다!!
내가 동경해오던 미국 바스켓볼에 도전할 때가 온 거야!!
미국에서 나의 플레이가 어느 정도까지 통하는지…. 바로 통하지 않아도 좋아.
하지만 1년이나 2년쯤… 본고장 바스켓을 연마한다면 틀림없이 저 호랑이도 상상하지
못할 정도의 선수가 될 거야!! 아냐, 절대 되고 말 거야!! 자신있어!!
미국에서 내 재능을 시험해볼 거야!

그때가
온 거야!!

미국
유학이라니!!
갑자기 연습을
빠지는가
했더니
하지만
재중이 녀석
너무한걸….

재중이 녀석한테
그렇게
기대하신 만큼
괴로우시겠지….

감독님도
요즘 왠지
기운이
없어 보여….
이것저것
생각하시는 게
많으신 거야.

제가 좀
친했잖
아요.
저한테도
재중이에 관한
소식을 자주
물으시던걸요.

연락은 있는지,
편지라도 오는지,
도대체 누구랑 있는지,
친척은 있는지…?
처음엔 편지도 가끔 오더니 최근엔 전혀….

그로부터 약 1년 후
모두가 잊을만하게 됐을 때 한 개의 비디오 테이프가 보내져 왔다.
농구 시합이 녹화되어 있는 테이프였다.
이 시합에 재중이도 나오는 모양이에요.
앗, 나왔다! 저게 재중이야!!
아니, 저게?!
……!!
수염까지 길렀잖아.
하지만 대단한걸! 저 녀석 혼자 동양인이잖아…!!
그래, 다시 봐야겠어…!!

……

전혀
성장하지
않았어….

누군가
재중이에게
기초를
가르쳐주는
사람이
있는
건가?
저 녀석 영어는
괜찮은 건가?
팀 동료들과
의사소통이
되지 않는 것
같아.

무엇보다도
대체 이 팀은 뭐냐…?
각자 제멋대로
플레이를 할 뿐
모든 게 엉망이야.
대체 코치는
무얼 하고
있는 거야!!

이대로라면
재중이를
망쳐버리고
말아…!!
재중이
연락처를
알려다오!!

그게…. 요즘
연락하려고 해도
연락이 안됩니다.
이사를 갔는지….
……!!

돌아와라,
재중아!!
내 감독생활의
마지막으로
널 최고의 선수로
키워낼
생각이었다.
넌 아직
가능성이 있다.
환경에 따라
최고로도, 최악으로도
변할 수 있어.

발이 빠른 2m의
장신이라곤 하지만
그건 어디까지나
고국에서의
일이었다.
게다가
고교시절 자신의
재능에만 의지한
플레이로
기초를 소홀히 했던
그에게
자신보다 크고
빠른 선수를
그는 얼마든지
볼 수
있었다.
자신이 기대한
만큼의 급성장은
바랄 수가 없었다.

—조재중이 미국으로 간지 5년째 되는 날 아침—

조재중씨(24)

미국에서 유학생 교통사고 사망
120km/h의 폭주, 약물반응도?
조재중씨(24)

안선생님….

아….

그 애가 편지를 …?
차마 보내진 못했겠죠….

팔락
팔락..
안선생님께….

아들의 아파트에 있었던 겁니다.
날짜는 4년 전으로 되어 있습니다.

언젠가
선생님이
제게 하신
말씀이
요즘 자주
떠오릅니다.
"널 위해
팀이
있는 게
아냐.
팀을 위해서
네가 있는
거다!!"
여기선
아무도
내게
패스를
하지
않습니다.

선생님과
모두를
배반하면서까지
왔는데,
지금에 와서
염치도 없이
돌아갈 수는
없습니다.
농구의
왕국
미국에서…
그 공기를
마시는 것만으로
전 높게
뛰어오를 수
있다고 생각했던
걸까요…!!
언젠가
저의 플레이로
모두에게 빚을
갚을 수 있도록
될 때까지
열심히 할
생각입니다.

그해,
명장 안선생님은
'흰머리 호랑이' 란
별명을 뒤로 하고
대학 농구계에서
물러났다.
조재중에게 건
꿈은 가슴 한구석에
묻어둔 채 아직
바스켓 인생의
종지부를 찍지 않고
있었던 것이다.

제가
조재중과
같다고
생각하시는
겁니까…?

깜
짝
―――!!
룰루랄라ー
응?
태웅군이
보기에
백호군은
어때요?

네?
선생님은….

두 사람의 장래에 관해 늘 즐겁게 얘기한답니다.

두 사람 모두, 지금껏 본 적이 없을 정도로 특별한 소질을 갖고 있다고….

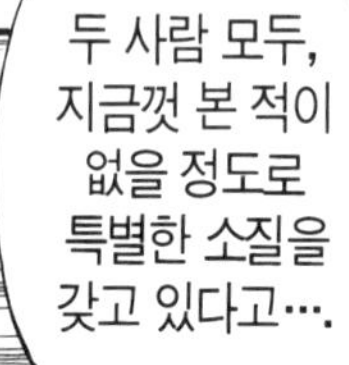

두 사람의 성장을 조금 더 지켜보고 싶으신 거예요. 틀림없이….

……….

호오, 영감님! 태웅이한테 설교하는 거예요? 좋아요!
더 엄하게 해요.
멍청이!!

태웅군!
난 자네의 의지를 믿고 있네.

?

우선은 우리나라 최고의 고교 선수가 되도록 하게.

앞으로도 많은 지도, 편달을….
부탁드립니다…
엉?

재중 군…
장재중지묘
선생님 살이 더 찌셨네요…

#190 우리나라 최고의 고교 선수

좋-아,
시작한다
!!
집합
!!

북산-

파이팅!!
으라차!!

얘들아, 농구부 보러 가지 않을래?
농구부가 아니고 서태웅이겠지?
진짜 보고 싶은건….
뭐-어?
아냐, 얘…. 지금은 정말 순수하게 북산 농구부를 응원하는 거라구.
정말이라구!!
그래, 알았어. 가자, 가!!
태웅이 말야, 이제 조금쯤은 소연이에게 관심이 생겼을까?
뭐-?! 무슨 그런 엉뚱한 소릴….
소연이 네가 자길 마음에 두고 있다는 것 정돈 알고 있겠지?
늘 그렇게 꺄약~ 꺄약~ 하니까…

아이 참…. 그럴까? 그러면 안되는데…. 어떡하지?
전국대회를 앞둔 이 중요한 시점에 나 같은 걸….
하지만….
멍청이!
그런일 없어.
그런일 없어.

아니…!

웬일들이야? 모두….
창백한 얼굴로…
소연아!!

뭔가 무시무시해….
꿀꺽
응…?

………!!

우와앗!!
퍽
아앗!!
……
쿠
당
탕
……

우-
파울이다, 파울!!

!!
지금 건 준호의 파울이다!!
디펜스 파울이야!

괜찮니?
예. 선배는요?!

굉장한걸! 태웅이 녀석!!
아니, 농구부 모두가 엄청난 투지를 보여주고 있지만….

……

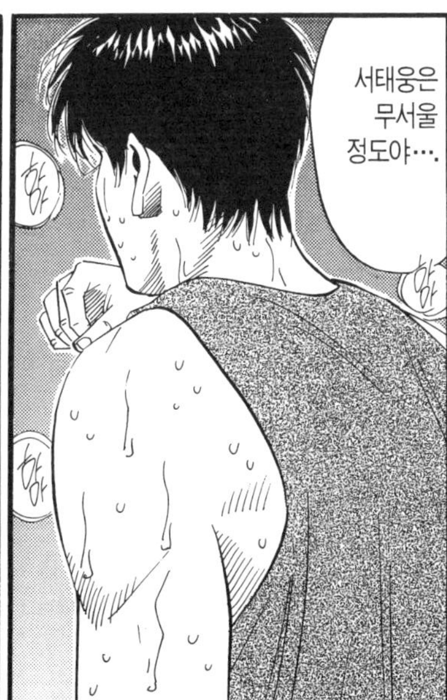
서태웅은 무서울 정도야….

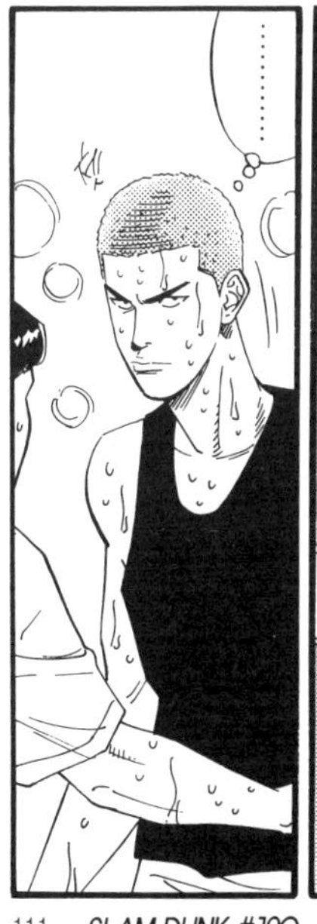
칫
……

디펜스!
읔….

엄… 엄청난
위압감이다…!!
압도적이야!
이런 건
지금까지의
서태웅에겐
없었다!!

태웅이 녀석…, 소름이 끼칠 정도예요.
으음….
패-스!!
너 지금 뭐하는 거야? 언제까지 그러고 있을 거야?! 빨리 시작해!!

……!!
흥!!
웃샤!!
앗?!
오옷!!
돌파당하면 어떡해! 멍청이!!
아니, 엄청난 스피드였어요!

파
풋내기…
야
아얏!!

아니—?!

……
하아
하아
하아
하아
하아

크윽…
부글 부글
부글
뭐야?

분명히
말해두겠는데,
네 녀석과
놀아줄 시간
따윈 없어.
뭣?!

우선…….

우리나라
최고의
고교 선수가
되도록 해라.
하
하
하

지금…,
지금 또
확인했다
…
이미
깨닫고
있었지만
…

난 저놈
시키가
정말 싫어!!

하아
하아

아아…
굉장해…!

하아
하아
하아

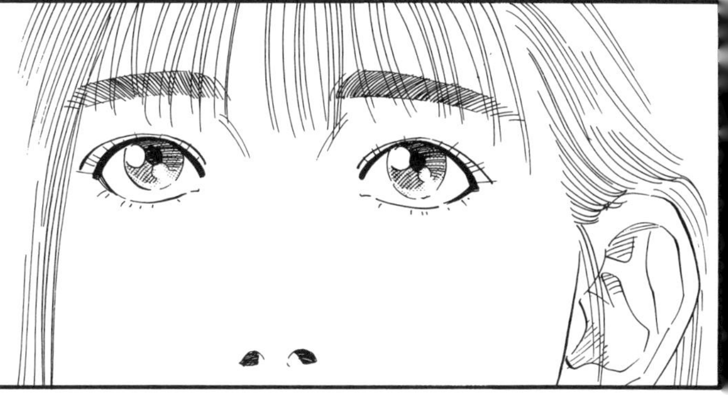

태웅이의
머릿속은
농구만으로 꽉 차
있어….

좋아,
수비다!!
탕
원래부터
내가 비집고
들어갈
틈 따윈
어디에도
없었어…!!
간다!!
좀더
자세를
낮춰!!
좋아,
잘하고
있어!!

……

철썩
윽!!
끼익
아!!
탕
타앙
이익!!

아ー앗!!!

왜 그러니?
몰라, 요즘 왜 이렇게 자주 우는지….

하악
하악
하악

저 녀석…
이젠 명실공히 팀의 에이스가 돼가고 있어….

확실한 목표를 정함으로써 이제 흔들리지 않게 되었구나! 태웅아….
그것으로 됐다….

절… 절… 절…
절대로 지지 않을테다!!
하
하
하

화끈끈끈

북산-!

#191 1 ON 1
파이팅!
좋았어!!
수고하셨습니다!!

으아…, 피곤해 죽겠네!
물~!!

태웅이 녀석,
오늘 도대체
어떻게
된 거야?
꿀꺽 꿀꺽 꿀꺽
죽을 것
같아!!
푸하 후하
죽인다
….
힘들어
죽겠어!!
아

울컥
엉?!

실력도
없는 주제에
멋있게만
보이려고
하고.
흥!
재수없는
녀석
같으니!!
바보
같은
놈!!
야,
콧물
나왔어!!

확실히
평소 때완
달랐어.
푸앗!!
소름이
끼칠
정도였어.
코로
들어갔어!!

득
헉
헉
헉
오잉!!

비켜!
두웅
한나 선배가 불러!
으윽!!

!
꽈-악

……

흥….
훌렁
겨우 그 정도냐?!

끄 윽
으라차!!
꽈-악
그런 걸로 경쟁하지마!

아직 멀었어!!

으악…?!
멍청이!!
강백호!!

강백호─!!
이크, 왔다!!

뭐가 왔다야?! 자, 오늘도 해야지!!
또 기초야? 매일매일 기초, 기초, 기초!
응?

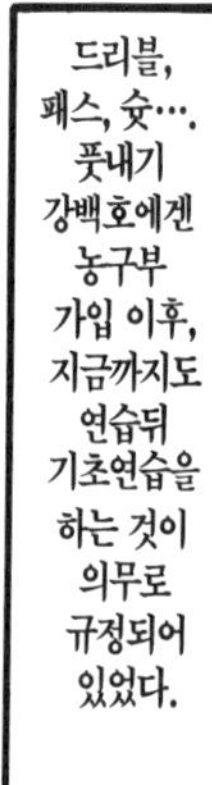
드리블, 패스, 슛…. 풋내기 강백호에겐 농구부 가입 이후, 지금까지도 연습뒤 기초연습을 하는 것이 의무로 규정되어 있었다.

솔직히 말해 이제 그 따위 연습 필요없다구요.
이 천재에겐!!

야, 지금 누구 앞에서 궁시렁대는 거야!!
윽…!

당연하지!

건방진 소리 하지 마!!
풋내기 주제에!
맞아, 한나 말이 백번 옳아!!

탕 탕 둘둘 둘 탕
젠장….
선배님….

으응?

호오, 별일이 다 있군. 이 녀석이 말을 다 걸다니….
뭐냐, 서태웅?

…….

1 ON 1 (일대일)의…
상대를 해주셨으면 합니다.

……!!
이 녀석 뭔가 대단한 결심을 한 모양인데!! 무슨 일이 있었나…?!

뭐…
좋겠지…

네가 상대라면…
재미있겠군.

어느 쪽이 북산의 에이스인지 정해두는 것도 좋을 것 같아.

응?
움찔
타앙!!...
뭐지?
뭐…?
덤벼라!

채치수네 집
다녀왔습니다….

어서 와! 오늘은 일찍 들어오네!
그래.
왜 그래? 안절부절 못하고….

아직 무리할 수 있는 발목이 아니니까….
응?

손님 인가?
으… 응…!!

굉장한 사람들이 왔어!!
뭐?

호오, 지금 오는가?

!!
깜짝

심…
심강훈…
선수…?!

어서 오게!!

SHINTAI UNIV BASKETBALL
S체육대학 3학년
심강훈
S체육대학 감독
이판근

구… 국가대표 선수가 왜 우리집에 …?!
나… 사인도 받았어.

치수야, 이쪽으로 와서 앉거라.

올해 여기
카나가와 지역에는
좋은 센터가
우글우글 하다는
얘기를 하고
있었네.
상양의
성현준.

해남대부속의
고민구.
능남의
변덕규.

하지만
그 중에서
도…
난 북산의
채치수에게
제일 높은 점수를
주고 있네.

저도
마찬가지
입니다.

……!!

알고 있겠지만
우리 S체육대학은
우리나라
최고의 팀이네.
우리 대학에
오지 않겠나?
치수군!
앗—!!
제쳤다!!

내가
이겼다!

!!
!!
우와-앗
또
막아냈어!!
빌어먹을~!!
광장한
접전이야
…!!
아직 둘다
한 골도
못 넣었어.
두 사람 모두
죽을 힘을 다해
막아내고 있어.
아냐….
태웅이쪽이
우세해….

정대만! 뭐하는 거야? 지면 안돼!!
시끄럿!! 입다물고 기초연습이나 해!!
네놈은!

크윽….

서태웅…

이 녀석이 높이와 스피드 그리고 파워를 모두 갖추고 있다는 건 알고 있었다.
하지만 지금의 이 녀석은 그것만이 아냐.

……

지금까지 녀석에게 없었던 뭔가가 싹트기 시작했다.
녀석의 내면에서 용솟음치는 뭔가가….

우리나라 최고의
고교 선수가
되도록 해라.

태웅군!!

우리나라
최고의
고교 선수가….

앗!!
앙
!!
빠져나갔다!!

아직 어림없다!!
파
!!
앗
슛 코스를 완전히 막았어!!

아냐, 아직이다!

아…!!
철
썩
아니?!

서태웅!!
스
윽

내가
상대해줄까?

듣고 있나?
앙?
훗
훗
훗
훗

#192 1st ROUND
내가
상대해줄까?
서태웅!

아니.
됐어!

……!!
맞아.

네 공격부터 시작했으니까
아직 나한테 공격이 한번 남아있다.

……

그렇게까지 이기고 싶을까…?!
!!
네놈한테 그런 말 듣고 싶지 않아!

!!
훅
깜짝

라스트예요.
알고 있어!!

……

촤악
!!

승-리!!
와하하하
3대 2로
나의
승리!!
……

우와아-!!

비겁자!
치사하게….
역시 대만
선배야!!

우하하하하!
응?

뭐야? 이건
비겁이니 뭐니
할 문제가 아냐.
당연히
주의해야만
할….
밟았어요.
앙?

선
밟았다구요.

뭐라고?!
동점이니까
연장전!!
쿠—웅

밟… 밟지
않았어!!
우선 네놈이
그게 보일리
없잖아!!
'힐끔'
봤어요.
거짓말
마!!

봤어요.
못
봤어!!
보였다니까.
절대
보이지
않아!!
네놈은
그렇게까지
해서
선배를 이기고
싶으냐?

됐어, 됐어.
진정들 해!
이 천재가
판결을
내려줄
테니까!!

……

승리!
넌 저리 꺼져 있어.

뭐야?! 이 천재님의 판결에 불복하겠다는 거냐?!
와하핫, 이것으로 승리는 내것!
불복하겠다면 내게 덤벼봐!!

쳇….
슥…

……

역시 도망치는 거냐…?
나랑 승부하는 것이 그렇게 무서우냐?

무슨 말이지?
그러고 보면 너와 난 확실히 승부한 적이 없어….
베스트5인지 신인왕인진 모르겠지만….

네 녀석이 날 이긴다고는 절대 말할 수 없을 거다!!

그 유명한
S대가
나를…!!
두근
나를
…!!
두근

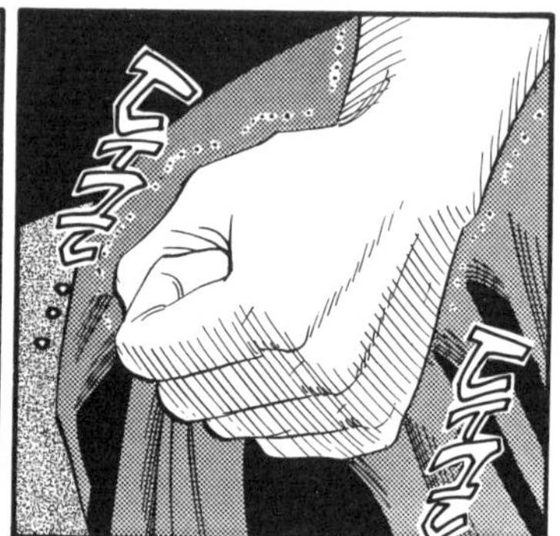

두근
두근

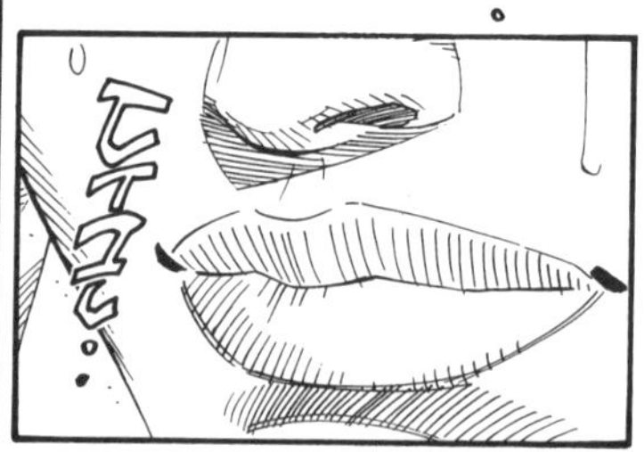

두근

굉장해….
정말
굉장해.
오빠
…!!

하지만
전국적으로 볼 땐
자넨 아직
완전한
무명이네.
……!!

나도 전국 데뷔는 고3 여름이었다.
그때까지는 나도 치수군과 마찬가지 처지였지.

…그렇습니다.

그때도 원맨팀이었지만 간신히 8강에는 들었다.
그후부터 내 인생은 바뀌기 시작했지.

전국대회 8강을 노려주게!!

내 주위의 사람들을 납득시키기 위해선 전국대회에서의 실적이 필요하다.
지금 여기서 부담줄 생각은 없지만, 치수군…!!

……!!

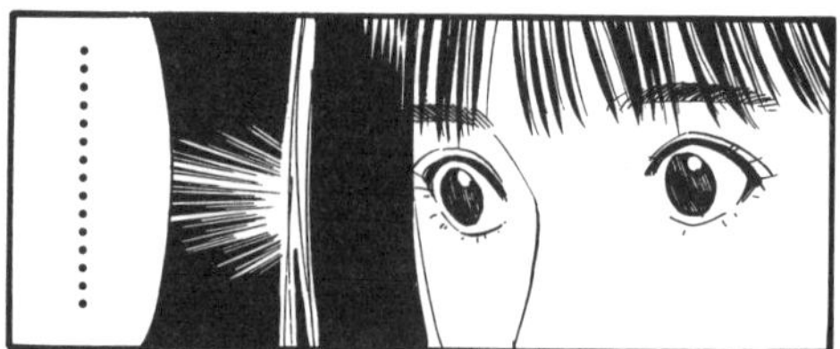
……

주제넘은 말입니다만….

북산은 이제 원맨팀이 아닙니다.

지금은…
북산이라는 팀을 한시라도 빨리 전국의 녀석들에게 보여주고 싶습니다.

호오…!!

오빠―!!

그리고
전국대회
8강을
노릴 수는
없습니다.

전국제패가
저의
꿈입니다.

자, 오늘은 여기까지다. 돌아가, 돌아가!
웅성 웅성
웅성
웅성
네에?
구경하면 안되나요?!

…….
재미 있을 것 같은데….
왜 그러지?

술렁 술렁
저 두 사람의 승부라면 정말 보고 싶어!
웅성 웅성

뭐어, 상식적으로 생각하면 당연히 태웅이지만….
술렁
웅성 웅성
백호는 치수 선배와의 승부에서 이긴 적도 있고….
술렁 술렁

그때부터 착실히 실전 경험도 쌓았으니까….
예상 밖의 결과가 일어날지도 몰라!!

사용합시다
체육관
…………

왜지…?

모두가
보고 있는
앞에서라면
쇼크도 엄청나게
클테니까….

특히 그 녀석의
경우라면
말예요.

그…
그 말은…!

…………

!

서태웅, 설마
네가 백호를
봐주거나 하지는…?

설마!!

역시!!

머~엉
망연자실

백호 네가
당장 승부를
내자는 것부터가
성급했어.

솔직히 나도
그 녀석에겐
이길 수 있을지
자신이 없어.
위로를 받으면…

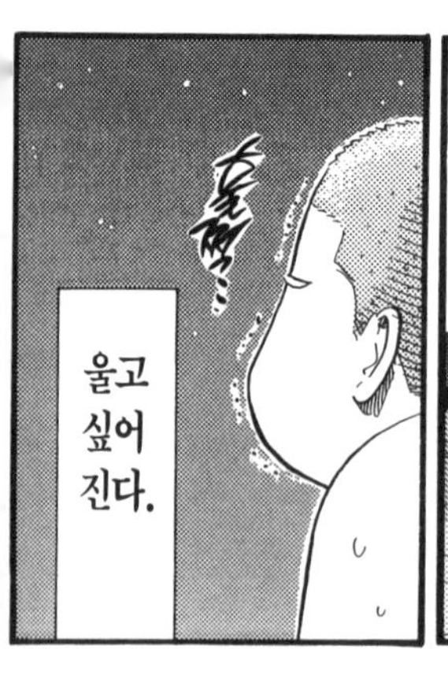
울고
싶어
진다.

뭐, 태웅이와의
승부는 일단
접어둬라.
지금 네가
쓰러뜨려야 할
상대는
따로 있어.

전국의
강호들이다.

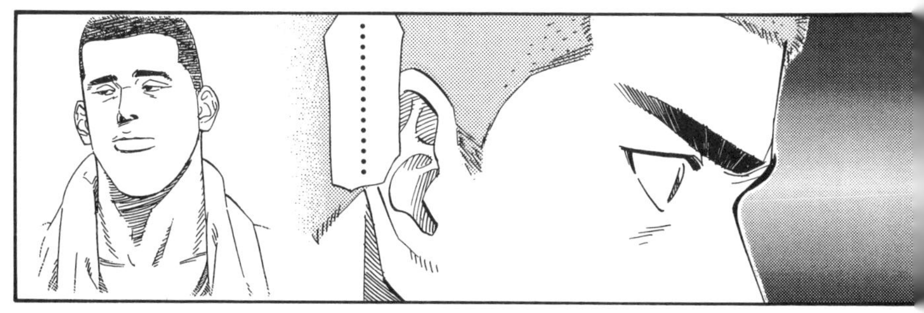
……

그 녀석,
국가대표 센터를
앞에 두고서도
꽤 자신만만
하던걸….
두둑한
배짱이야.

전국제패라…
어디까지
가까이 갈 수
있을지….
기대되는군요.

와우-!!
우호-!!

5체대라니,
이렇게
기쁠 때가— 우오오 만세에!
좀 조용히 해

193
위험해진 전국대회

이것이
실력이다!
…너…
너….

거기
서지
못해!!

!?
깜짝

응…?

……
알고 있겠지, 강백호?

저번에 봤던 기말고사의 결과가 이제 곧 나올 거다.
엥?

설마 몰랐나?
우리 학교의 교칙 말야.

낙제 점수를 4개 이상 받으면 전국대회는 나갈 수 없다!
뭐?!

이야ㅡ!
이번엔 그래도
그럭저럭 봤군!!
낙제가 3개다!!
웅
웅
웅
졌다!
난 2개!!
나도!!
그래도 역시
백호에겐
당할 수가
없어!!
1학년 7반

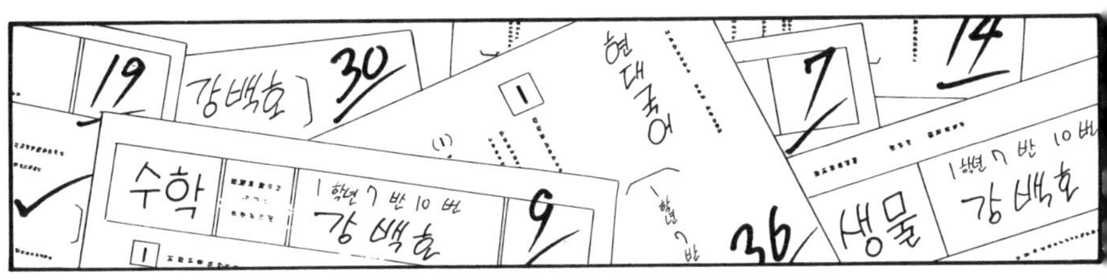
14
7
1학년 7반 10번
강백호
생물
36
현대국어
1
수학
1학년 7반 10번
강백호
9
19
강백호
30

7개라니
말야!
웅
웅
웅
졌어!
역시
백호야!

이런…
창백~
이건
말도
안돼…!

쿠
구
천재
강백호의
전국
데뷔가…!!
쿵

교무실
제발 부탁드립니다!

이 멍청이들에게 제발 단 한번의 기회를…!!
재시험을!!

첫!
동료가 있었어.
휴
멍
부탁드립니다!

어떻게 된 거지? 농구부는 채치수를 비롯해 모두 우수하다고 정평이 나있는데….
항상 예외는 있다는 거죠.

이봐, 고릴라! 그렇게까지 비굴해질 필욘 없잖아!

꿈틀

이 돌대가리 녀석!! 지금 누구 때문에 이러는데!
쿵 쿵 쿵 쿵
으윽…!

저 4명이
빠지게 되면
전국대회는
절망적이야
…!
예선에서도
저 녀석들이
없었다면
2위는 생각할
수도 없었어.

하여튼!!
정말 어쩔 수
없다니까!!
저 문제아
군단은!!

부탁드립니다…!!
치잇!
덥석

푸하하하!
주전 4인방이
낙제인 주제에
전국제패라니
…!!

나 혼자다!!

윽!

그러는
유도부는
어떠냐?
유창수!!

저도 부탁드립니다!!
털썩
와하하하하하!!

바보 같은 놈들이 너무 많아…!

잘들 알겠지?
여름방학이 들어가면 바로 1주일 동안 합숙이다!!

하지만 그 전에 네놈들은 우리 집에서 공부 합숙이다.
알겠냐!
우하하핫!

네놈들이 비웃을 자격이나 있냐? 이 낙제군단들아!!
시끄럿!! 낙제왕 주제에!!

어이구….

북산우등생군단

낙제군단

……

……!!

다 됐어♡
응? 정말이야!

뭐야….
역시 하면
되잖아,
태섭아.
근데 왜 시험은
그렇게
못 본 거니?!

헤헷, 한나가
선생님이라면
만점을
받을지도…♡
멍―
주제도 모르고…
꿈 깨시지!

응….
치수네
집에서
공부하고
있어.
그래서
오늘은
못 들어가!
그래.

정말
이라니까!
농구부원들이
모여서
공부하는
거야!
그래!
공부,
공부!!

알았어.
그럼….
달칵

항상
나쁜 짓만
하니까
그렇지….
뭣?!
7개나 낙제를
한 녀석이
주둥이는
살아서!!
뭐가
어째?!

집중하지 못해?! 백호, 넌 다 했냐?
으윽…. 젠장….

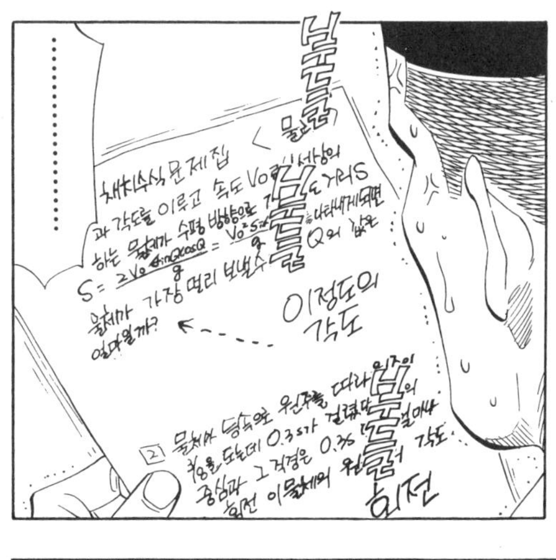

……
이정도의 각도
회전

뭐야? 이게!!
대체 어떻게 하면 이런 답이 나오는 거냐?!
응? 틀렸나?!
……
아니!!
자지 마, 서태웅!
소연아, 너도 좀 와봐!!
깜짝
!!
아…. 나도 가르치라구…?
우웃…!! 소연이하고 맨투맨으로 공부하는 건가?!
이거야말로 전화위복…!!

!!
쿠ー웅
맨투맨이다!
끔쩍

잘…
부탁해
…!
뚜ー웅
두둥

아…
저기…
태웅아,
이건….
꿀꿀
…

빠직

뭐냐,
이
건방진
태도는?
꽈악
집중
못하겠어!!

내 방에서 한다!
백호 넌
너무 산만해!!
아앗ー!
싫어~!!
이거 놔!
안 갈 거야!!

좋아, 그럼
이 문제를
풀어봐!
난
그 사이 좀
잘테니까.
아-앗!
치사하게
혼자만
자는
거야!!
다 풀면
깨워!!
너무해-!!
쿨-…
쿨-…
드렁…
드렁…

푸-
푸-
카-…
카-…

흐암…
다 했어.
아…,
응!

태웅이 네가
이런 시간에
일어나 있다니,
기적이지 않니?
눈이
가물가물
해요.

태웅아….

무슨 일
있는
거야…?

요즘 왠지
연습 중에도
엄청난 투지
같은 게
느껴져….

맞어….

!!
자지 말!
쿨
……

쿠

어쩌면
전국대회에서
우리나라 농구계를
발칵 뒤집어
놓을지도 몰라.

태웅이
녀석….

뭐야—!
벌써 자는
거야?!
아니?
벌써
끝난 거니?
강백호!!

백호야,
배고프지?

하하하핫!
공부
끝났어.
고릴라도
먼저 자구
....

자,
됐어!!

볶음
우동!!
우왓
♡

소연인
너무
친절해….
요리도
잘하고
…♡
소연아

전국대회에
나가지
못하면
절대 안돼!
백호야!
전국제패는
백호에게
달려 있으니까!

뭐?
움찔

그래,
소연이
말이 맞아.
전국대회까지
앞으로 남은
2주라는
짧은 시간 동안,
가장 발전할
가능성이
있는 건….

풋내기
강백호,
바로 너야!

……!!

야,
일어나!
들었어?!
퍽
쿨—

백호가
발전하는
것만큼…
북산이
전국제패에
가까이
다가서는 거야.
그… 그러니까
전국제패는
역시 나,
강백호의
어깨에 달려
있다는….
그래.

역시……!!

그러니까
내일 재시험
잘 봐야해!
핫핫핫!
재시험의 귀신
이라 불렸던
강백호! 오늘밤은
한숨도 안 자고
공부할 거야!!
그건
뭐야?

들었어?!
들었나구,
이 잠탱이
여우야!!
들었어-!!
안돼!!
깨우지
마!!

맛있어!!
잘 먹겠습니다!!
우적
우적
이거
너무너무
맛있어!!

맛있어!
근데
왜 울고
난리야?
우적
우적

좋아!!
해내고
말겠어!

그리고
다음날-
짹짹…
짹짹짹…

하룻밤
특훈의
성과였는지
….

아얏!

아니,
이게
뭐야?!

4명 모두
간신히
재시험에
통과!!
너무
쉬웠어.
아슬아슬

하루하루
다가오는
전국대회.
북산은
최강의 멤버로
출전할 것
같습니다!!
아슬아슬

태웅이가
이 의자에…
소연 전용

#194 합숙
여름방학

좋- 아!
전부
모였지?!
옛!!

전국대회를 열흘
앞두고 북산은
1주일간의 합숙을
실시하게 되었다.
안선생님의 후배가
감독을 맡고 있는
시즈오카 대표인
상성고교와의
합동 합숙이었다.

그럼,
치수군!
잘 부탁하네.
능남전 때와
마찬가지로
인솔은
박선생님에게
부탁해
두었네.

네!!
뭐야, 영감님은 안 가는 거예요?
감독인 주제에...

백호군!
자네도 여기에 남게.

오잉?

그럼, 여러분. 1주일 후에 만납시다.
네!!
다녀오겠습니다!!
엥?
엥?
왜?
이봐?!

좋아,
간다!!
파이팅!!

야, 잠깐
기다려
—!!
대체
어떻게 된
거예요?
영감님!!

안선생님이…?

…안선생님 생각이셨다.

전국대회까지 앞으로 열흘….

백호군은 정말 배우는 속도가 빨라요. 놀라울 정도로….

하지만 아직 초보인 백호군이라면 열흘 동안에도 성장할 가능성이 있어요.

남은 열흘 동안,
백호군에게
어중간한
팀 연습을
시키는 것보다…
철저한
개인연습을
쌓게 하는 편이
좋아요.

백호군의
성장은
팀에게도
확실한 플러스가
될 거예요.
……

그렇게
된 거야.
과연…!!

백호 녀석,
안선생님께
개인교습 받는
거잖아?!
엄청난
특혜야…!

뭐야, 도망치겠다는 거냐? 정대만!!

미안하지만 지옥의 합숙은 이미 시작되었어!!
훗!

1cm 엉덩이 들기 -!!
뭐라고?!

1cm/!!
제발 그만들둬!!

제발, 그만둬 -!!

……
털썩……

벌렁…
꿔다놓은 보릿자루

용서 못해, 이 비겁한 처사는….
빌어먹을…
부들
부들
부들
왜 나만 왕따를…!
절대 용서 못해!!

영감탱이~!!
울
울
울
준비운동은 다 끝났나?

뭐어?!

!

WIN

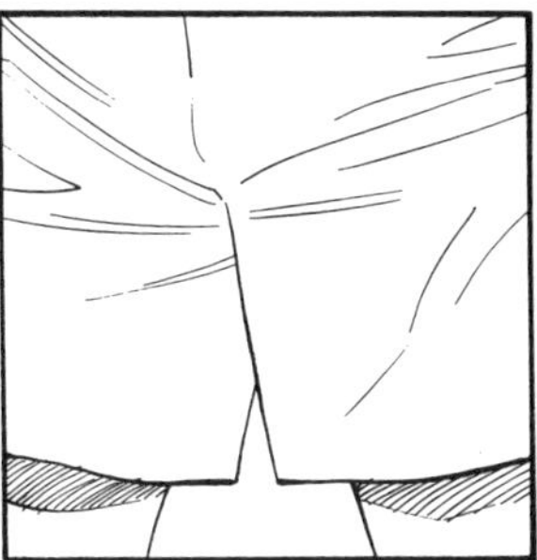

훗훗훗!!
척
WIN
영감님…?!

무…
무리하지
마요!!
호오?

나랑 승부해
볼텐가,
백호군?

영감님…
아무도
놀아주지
않으니까
적적하시죠?
철썩

하지만
이 천재도
전국대회가
다가와서
놀아줄 시간이
없어요.
네?!
영감님
취미생활에
동참할
생각은
없다구요.
두닥두닥

취미생활….

그럼
이러면
어떠냐?
백호군이
나한테 이기면
지금 바로 합숙에
참가해도
좋네.

……!!
샤삭

당장
승부해요,
영감님!!
와하하하하!

호호홋!

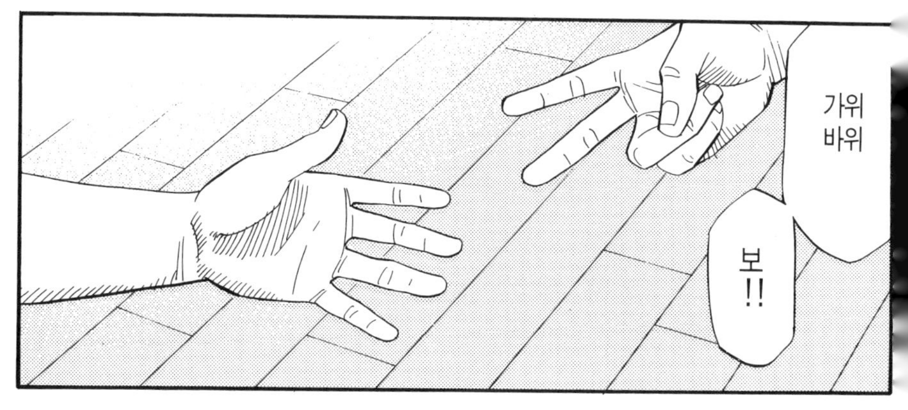
가위
바위
보!!

여유있는
후공!!

슈팅 승부

~방법~
×표시가 있는 5군데에서
각각 2번씩, 모두 10번의 슛을
해서 많이 들어간 쪽이 승리.

내가 먼저
공격이군요….
뭐…,
어차피
내가…!!
탁
앙

훗…
쿵
훗…
쿵
훗.
쿵
훗.
쿵
살이 출렁 거리고 있어!
훗!
훗!
……
데굴
풍선 같아!!

자, 이제 워밍업은 이것으로 OK!
헉
헉
좋아, 던져볼까!!
벌써 헉헉거리면서 …!!

WIN

WIN

파
샥

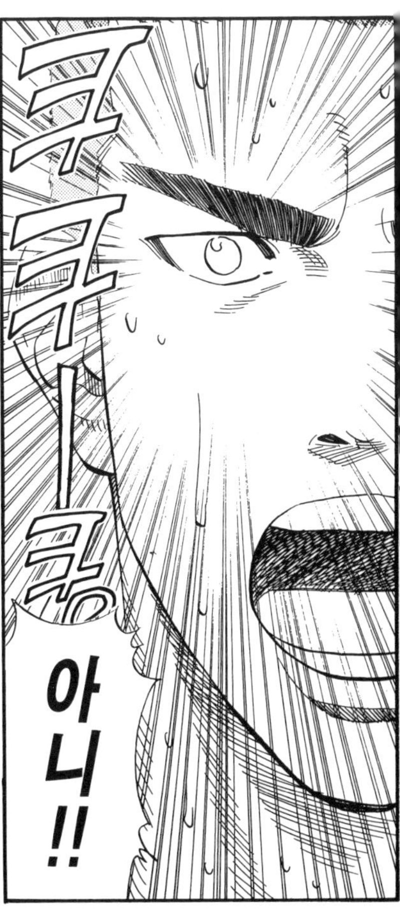
쿠쿠-쿵
아니!!

…………
백호군….

그런 곳에 그냥 서있지 말고 공이라도 주워주지 않겠나?

아….
예….
우연이겠지….

!!
여, 여,
여, 열…
열 개중
아홉 개를
…!!
!!
하나가
빗나갔군요.
아깝군요….
…………!!
자, 그럼
10개를
다 넣으면
백호군의
승리예요!
그…
그렇죠!!

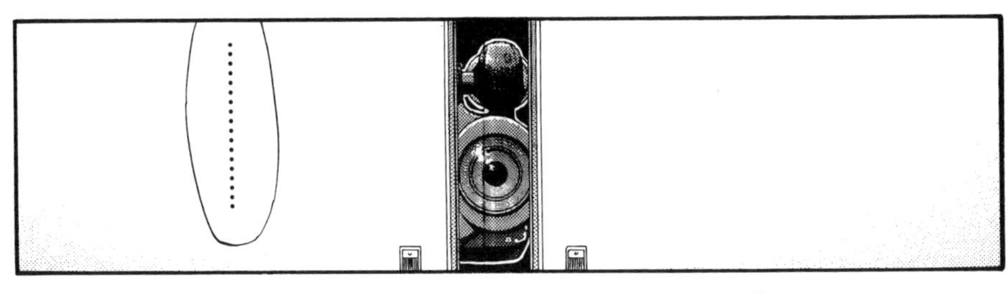
……

흥!!

쿠―웅
……!!

흥!!
콰
앙

이게!!

……
0
10
쿠―웅

하나라도 들어갔나요?
안 들어 갔어요. 젠장…!!

이제 들어오도록 해요!!

응…?
협력자들이에요.

여어!
네 녀석의 화려한 폼을 확실히 찍어두었지.
와하핫!
네놈들…?!

전국대회까지 앞으로 열흘….

그때까지 지금 같은 슛을 철저히 연습하는 거예요.
그 때문에 백호군은 여기에서 합숙하는 거예요.
철저히….

그…
그럼 들어가게 되는 건가요?
그 폼으론 아무래도 …
시끄럿!!
훗훗!!
그건 백호군에게 달렸어요.
…………!!

꿀꺽…

꿀꺽…
까짓거 해 주지
휴우
연습해두길 잘 했군
WIN

♯195 합숙 2

흥!!

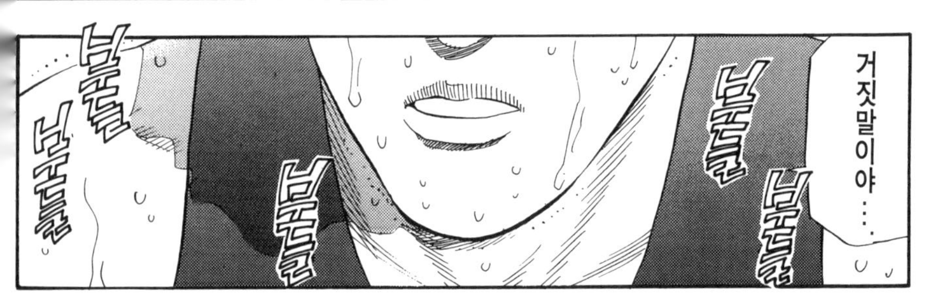
거짓말이야….
부들부들
부들부들
부들부들
…부들부들

…이게 나라구?
아무리 봐도 백호 너 맞잖아!!
ㅇㅇ… 빌어먹을!!

아냐….
이런 건
내가 아냐….
거짓말
이야!

……

슉
백호가 상상한 셀프 이미지
~슛편~

출렁

좋아.
후
그럭저럭이군!!

……

이…
부들부들
흥!!
이 꼴사나운
놈은
누구냐…!!

핫핫핫
슛하고 있어!!
인정 못해!!
네 녀석이 카메라에 뭔가 조작을 한 게 분명해!!

와하핫!!
두둥
왜 안 들어가는 거야!!
크악~
와들

용팔이, 너!! 네가 잘못 찍은 거야!
뭐어?
난 이런 식으로 슛하지 않아!!

자신의 부족함을
아는 것이 그 첫 번째.

풋내기가
상급자로
가는 과정은,
응?!

자, 그럼 체육관으로 돌아갈까요!
무… 무슨 뜻이에요?
와우!!
?

한나양이
뽑아준
예선전에서의
개인
데이터예요.
이 데이터에
의하면
백호군의
총득점은
7시합에 17점.

프리스로를
빼면
14점….
그 중 6점이
레이업이고
골밑슛이 4점,
덩크가 4점.

이게 뭘
의미하는지
알겠나,
백호군?
역시…
천재?
아니!

자넨 골대에서
아주 가까운
위치가 아니면
슛할 수 없다는
거네.

뭐라구?
이
영감님이!!
한번만
더
말해봐!!
그게
사실인 걸
어쩌냐,
백호야!!

전국대회에서
싸울 상대팀은
우리의
이런 데이터를
가지고 있을 거다.
만약 내가
상대팀
감독이라면
백호군은
신경도
안 쓰겠지.
……?

골밑에서밖에
들어가지 않는
10번은
내버려둬라.

대신
득점력이 있는
11번을 2명이
막아라.
딩!

이렇게
지시
하겠지.
뭐라구!
날 우습게 보다니!!

하지만….

앗!
패스다.
휙
어차피
안 들어가니까
내버려둬.

………

씨익!

허-억!

상대는 설마 이렇게 단기간에 골을 넣을 실력을 갖췄으리라곤 생각도 못할테니, 백호군은 프리로 쏠 수가 있어요.
어떤가? 백호군!

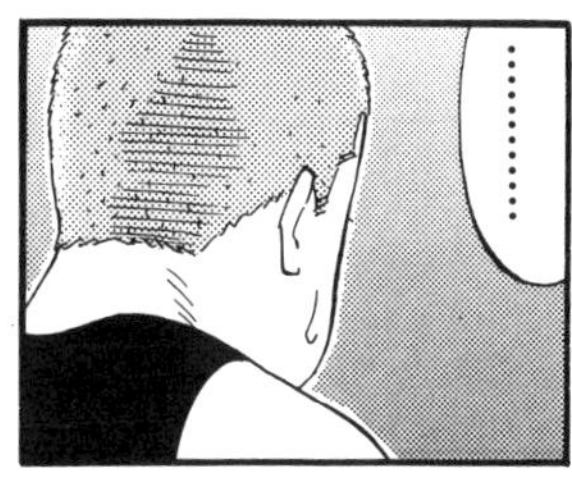
……

……

두근두근 가슴이 뛰지 않나?

영감님….
무엇을 하면 되는 거죠?

훗훗!

슛
2만번이에요.
!!

뭐라고라고라-!?
이…이만번…!

2만으로
부족하지
않을까요?
뭐야-?!

우와….
재…
제정신
이야?!
자,
시작할까요!!
네에!!

!!
휭
아아~!
역시 안돼! 10개 쏴서 하나도 안 들어갔어!

헉
헉
이상해….
헉
헉
왜 안 들어가지?

조금 전 비디오를 보고 뭔가 이상한 점을 깨닫지 못했나요?
그건 내가 아니었어.
너야!

…………

초보자이기 때문에 이상한 게 당연한 거예요. 오히려 나쁜 버릇이 없어 다행이에요.
이제부터 올바른 폼을 정확히 익힐 수 있을테니까.

이상한 점이라….
솔직히 말하면 안 이상한 점을 찾기가 더 힘들겠어.

슈웃

철썩

흐음.
골밑슛은 꽤 수준급이군.
!

당연하죠!
하하
하하
천재인데다가 특훈까지 했으니까!!

기본적으론 골밑슛과 마찬가지예요.
응…?!

그럼, 다음은 여기서!

…………

흥!!

또 안돼~!!
전혀 안돼!!

힘이 너무 들어가는 군….
윽….

심호흡을 하고….

상체를 편안하게 ….
……

긴장을 풀고…
슛은 힘이 아니니까….
긴장을 풀고….
그래, 그래.

안녕하세요….
드르륵.

소연이…?!
움찔
앗…!
또 힘이
들어갔다.

긴장을
풀고…!!
그렇지,
그렇지!
오빠가
백호만 여기
남았다길래
….
어때,
훈련은
…?
멀고도
험해….
첩첩산중
이야…
힘내,
백호야.
전국제패의
열쇠는
백호, 네가
쥐고 있는
거니까
…!!

상반신의
힘으로만
던지려니까
쓸데없는 힘이
들어가는 거야.
중요한
것은
오히려
하반신
이다.

하반신…?
?

그렇지!
무릎을 사용해서
밑에서 위로
힘을
전하듯이….
밑에서
위로….

무릎을
사용해서…
밑에서
위로….

긴장 풀고!

긴장 풀고….
축

슉

……!!

카
앙
아앗!!

이번엔 왠지 조금 느낌이 좋아진 것 같아.

최소한 링에는 맞았으니까!!

별로… 많이 힘을 주지 않았는데도 아까보다 멀리 갔어요!!
그렇지!!
무릎이 중요한 거네.

역시…! 요령을 알았어!!
씨익

좋았어, 간다!!
잠깐, 스톱!!
응…?
왜 그래요? 영감님!

그대로!
움직이면 안돼요!

모두들도 기억해둬요.
?

뭐야…?

모처럼 무릎을 써서 밑에서 위로 힘을 전달했는데….
…………

여기서 이상한 쪽으로 가고 말아…
볼에 힘이 전달되지가 않는 거예요.

흐음….

이렇게…
조이면….

…………

오옷!
끝내!
이제야 농구 같은 폼이 됐어!!
백호야!

그래…?
난 불편해 죽겠는데…?

익숙해 지면 불편하지 않게 되네.

팔꿈치가 벌어지면 모두가 주의를 줘요.
예!
봐주는 것 없다!!

백호야,
멋지다!!
초보자같이
안 보여!!

정말ㅡ?
헤에ㅡ

그리고
마지막은
손목을
써서…
공은 포물선을
그리듯이
높이 던진다.

긴장 풀고….
무릎을 써서…

볼은 높이ㅡ

!!

우와앗 ―!
들어갔다!!
빨리 줘!
빨리 패스해, 호열아!
지금의 감각을 잊기 전에 던져야돼!!
빨리!!
훗훗훗!!

특훈 첫 날 종료
곯아 떨어짐
쿠울—
쿠울—

북산!!
북산!!
광 광 광
북산!!
광
마지막 하나다!!

명심해라, 이번 한골이 승부를 결정하는 거다!!
으라차!!

북산
0:05
2ND
73
74
와

0:05
가자!!

드

11번이다!!

파
악

둘러싸!!
파파팟
!!

이제야 내게
패스를
하는구나,
서태웅!!

와아아아얏!
우오오오옷!!
SHOHOKU
10
0:01
15

#196 합숙 3

짹 짹…
꿈이었나…?
젠장…!!
짹짹짹…

쨍
앵
헉
헉
헉
후읏!!

카앙

거리가 틀리는 건 괜찮지만 옆으로 빠지는 건 안돼!!
안돼, 안돼!!

앗, 테이프가 다 돌아갔네!
탁
그렇죠, 영감님?
훗훗. 그래요.
크윽…!!

아직 쓸데없는 힘이 들어가 있어요. 백호군!!
쳇…
볼을 받는 것에서부터 쏘는 것까지가 하나의 흐름인 거네.

일정한 리듬으로 슛하는 거야.

볼을 잡는다.
탁

점프-!

슛!!

슛!!

탁
볼을 잡는다.

점프-!

철썩

철썩

일정한 리듬이라고 …

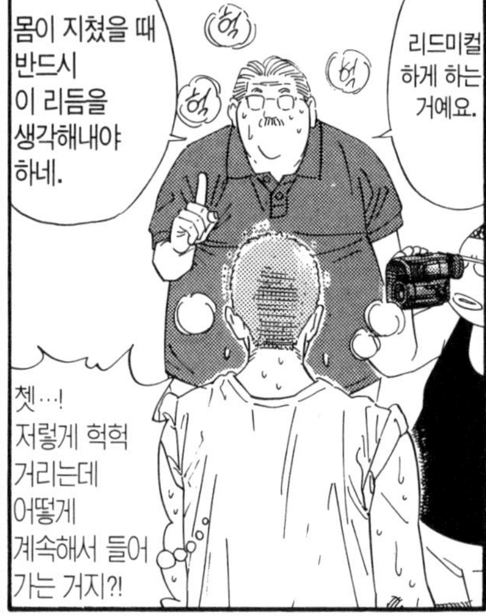
몸이 지쳤을 때 반드시 이 리듬을 생각해내야 하네.
리드미컬 하게 하는 거예요.
헉
헉
헉
쳇…! 저렇게 헉헉 거리는데 어떻게 계속해서 들어 가는 거지?!

자,
파이팅!!
점점 불이 들어가고 있어, 백호야!!

역시?!

앞으로 10개면 오늘 천 개째야!!
자, 간다!!

좋아,
어서 와라!
리듬, 리듬-!!

……

좋아!! 오전 연습은 끝!!
하아 하아
헉-! 헉-!
밥먹자!!

학생식당

식권판매
음…, 그러니까 난…
돈가스 덮밥 곱배기!

그게 밥이고 반찬은….
식권판매
깜짝
!?

고로케하고 꽁치하고 볶음국수하고 샐러드!

그리고 국 대신 라면.
앗! 아줌마, 우유도요.
팩으로 된 걸!
……

오늘은 백호가 평소보다 더 먹는걸!!
밥 좀 더 주세요.
돈도 없는 주제에!!

한편
시즈오카로
합숙을
떠난
선수들은…
상성 VS
북산의
연습 게임을
벌이고
있었다.
우왓!!
!!

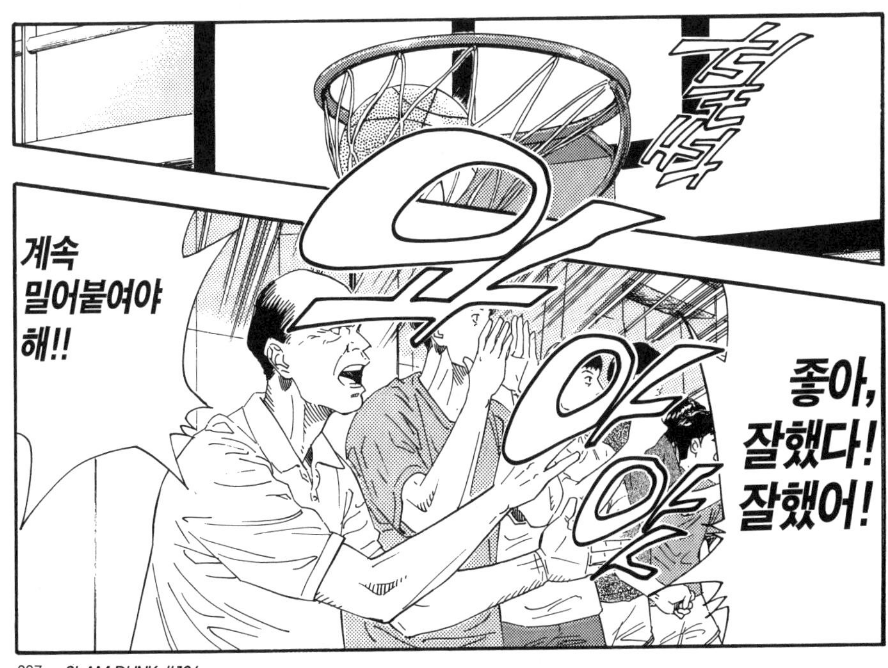
좋아,
잘했다!
잘했어!
계속
밀어붙여야
해!!

삐ー익
작전타임!!
상성 북산
8 14 2
북산!!

쳇!
역시 강해! 과연 상성이야!!

전국대회 8강은 그냥 되는 게 아냐…!!
젠장…!

상성 녀석들…!!

선배님,
감탄할 것
없어요.
우린 전국대회
4강인 해남을
상대로
한골차 승부를
펼친 팀이에요.

저쪽도
아주
필사적
이에요.

그래.
지금쯤 백호
녀석도 혼자서
열심히 하고
있을 거다.
서투른 대로...

만약
우리가
졌다고
해봐라!!

핫 핫핫
역시
이 천재가
빠지니까
아무것도
안돼!!
그렇지?!

……!!

죽어도 이겨야 해!!
오오오오
파이팅!!

……!!

……!!
절대 안돼…

아니?!
깜짝
왜 저러지??
갑자기….

그들은 이날…
이글이글
강호 상성을 1점차로 깨는 쾌거를 거두었다.

학
학
학
이봐!
어떻게
된 거야?
강백호!!
휴식까진
아직
20개나
남았어!!
벌써
지쳤냐
?!
…………
꾸
욱
왜…,
왜 그래?!
어쩔 수
없잖아!
알면서
왜 그래?!
째려보지마!!

할 수 없군.
좀 쉬도록
하지….
그렇게 해요….
헉
헉!
헉!
헉!
팔이
올라가질
않아….

다른 애들은
지금쯤
강호 상성을
상대로 싸우고
있을텐데….
이길 수 있을까…
!!
꿀꺽

멍!
…………

……
!!

서태웅,
그 여우
너석을
소연이가….

뭐하는
거야,
너희들,
일어나!!
뭐라구?!
벌써?!
휴식
끝-!!
빨리빨리
시작하자고!!

……

영감님
취미생활에
동참할
생각은
없다구요.
네?!

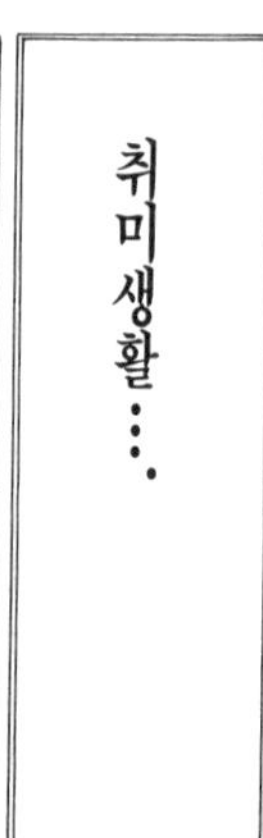
취미생활….

지쳤을 땐
반드시
리드미컬!

오옷!!
잘했어!!

취미생활 이라구…?
그럴지도 모르지.

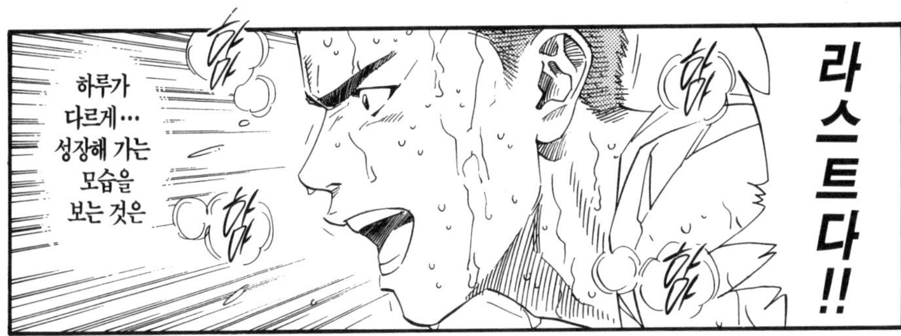

라스트다!!
하루가 다르게… 성장해 가는 모습을 보는 것은

더 할 수 없는 즐거움이다.

……

엉망진창이야…

……

17 SLAM DUNK(完)

5일째 종료
죽은 듯이 잠
조-용
숨은 쉬나?
글쎄

SLAM
슬램덩크 완전판 프리미엄
DUNK

슬램덩크 완전판 프리미엄 17

2007년 9월 23일 1판 1쇄 발행 2023년 2월 14일 2판 3쇄 발행

•

저자 …… TAKEHIKO INOUE

•

발행인 : 황민호
콘텐츠1사업본부장 : 이봉석
책임편집 : 김정택/장숙희
발행처 : 대원씨아이(주)

•

서울특별시 용산구 한강대로 15길 9-12
전화 : 2071-2000 FAX : 797-1023
1992년 5월 11일 등록 제 1992-000026호

•

•

ISBN 979-11-6944-813-0 07830
ISBN 979-11-6944-793-5 (세트)

•

• 문의 : 영업 02-2071-2075 / 편집 02-2071-2116